劉福春・李怡 主編

民國文學珍稀文獻集成

第四輯

新詩舊集影印叢編　第147冊

【馮乃超卷】

紅紗燈

上海：創造社出版部 1928 年 4 月 20 日初版

馮乃超 著

花木蘭文化事業有限公司

國家圖書館出版品預行編目資料

紅紗燈／馮乃超 著 -- 初版 -- 新北市：花木蘭文化事業有限公司，
2023〔民 112〕

142 面；19×26 公分

（民國文學珍稀文獻集成・第四輯・新詩舊集影印叢編 第 147 冊）

ISBN 978-626-344-144-6（全套：精裝）

831.8   111021633

ISBN-978-626-344-144-6

9 786263 441446

民國文學珍稀文獻集成・第四輯・新詩舊集影印叢編（121-160 冊）
第 147 冊

紅紗燈

著　　者　馮乃超
主　　編　劉福春、李怡
企　　劃　四川大學中國詩歌研究院
　　　　　四川大學大文學學派
總 編 輯　杜潔祥
副總編輯　楊嘉樂
編輯主任　許郁翎
編　　輯　張雅淋、潘玟靜　美術編輯　陳逸婷
出　　版　花木蘭文化事業有限公司
發 行 人　高小娟
聯絡地址　235 新北市中和區中安街七二號十三樓
　　　　　電話：02-2923-1455／傳真：02-2923-1452
網　　址　http://www.huamulan.tw 信箱 service@huamulans.com
印　　刷　普羅文化出版廣告事業
初　　版　2023 年 3 月
定　　價　第四輯 121-160 冊（精裝）新台幣 100,000 元

紅紗燈

馮乃超　著

馮乃超（1901～1983），祖籍廣東南海，生於日本橫濱。

創造社出版部（上海）一九二八年四月二十日初版。
原書三十二開。

創造社叢書

第二十種

紅　紗　燈

馮乃超著

上　海

創造社出版部

１９２８

1928　　2　　1　　付排
1928　　4　　2)　　初版
1——2000册

每　册　實　價　大　洋　四　角

紅　紗　燈

序

'紅紗燈'，把它送到世間的光明中，會它底舊相知，或是拋在黑暗的一隅，任它埋沒在忘却裏——我全無一定的成見，但是，經過大半年的逡巡，卒之誕生出世了。

'舐犢情深'，這樣本能的感情，對於此詩集的出世，不來當'產婆役'，只有創造社的厚意，給這畸形的小生命安產出來了。應該鳴謝的。

你們會看見小鳥停在樹梢振落它的毛羽，你們也知道昆蟲會脫掉它的舊殼；這是我的過去，我的詩集，也是一片羽毛，一個蟬蛻。

此集中，盡是一九二六年間的作品。

一九二七年，九月，七日，著者識。

目　次

Ⅰ　哀　唱　集

哀唱···································1

酒歌···································9

Ⅱ　幻　筒

我願看你蒼白的花開·········13

月光下·····························15

淚零零的幸福昇華盡了·······16

蛺蝶的風影·····················17

陰影之花·························18

幻影·······························20

悲哀·······························22

Ⅲ　好　像

清沉的古御籃·················25

〔1〕

現在 …………………………………………… 28

好像 …………………………………………… 29

眼睛 …………………………………………… 31

夜 ……………………………………………… 33

Ⅳ 死底搖籃曲

死底搖籃曲 ………………………………… 35

冬 ……………………………………………… 37

冬夜 …………………………………………… 39

我底短詩 …………………………………… 41

Ⅴ 紅 紗 燈

夢 ……………………………………………… 43

鄉愁 …………………………………………… 45

相約 …………………………………………… 47

紅紗燈 ……………………………………… 49

〔2〕

默……………………………………………51

VI 凋殘的薔薇

凋殘的薔薇惱病了我…………53

絕望………………………………56

殘燭………………………………58

小波………………………………60

短音階的秋情……………………62

蒼黃的古月………………………65

沒有睡眠的夜……………………67

十二月……………………………68

鬧衣曲……………………………70

死…………………………………72

VII 古瓶集

月亮的圍鬬………………………75

〔3〕

榴火·······································76

微雨·······································77

古瓶詠·····································73

唉···80

南海去·····································82

古風的板畫·································85

VIII 禮 拜 日

不忍池畔···································87

歲暮的 Andante ·····························90

禮拜日·····································92

〔 4 〕

I

哀 唱 集

1. 哀唱‥‥‥‥‥‥‥‥‥‥‥‥‥‥‥‥‥‥‥‥1

2. 酒歌‥‥‥‥‥‥‥‥‥‥‥‥‥‥‥‥‥‥‥9

哀　唱

序　曲

哀哀哭泣的夜雨

淋漓盡緻的淚水

洗盡現實的哀愁

洗盡痛傷的心瘁

不願聽的滴滴的雨聲

不願看的渾渾的夜陰

不願憶的心傷的命運

陰霾愁苦充滿的半生

更深無可奈何地獨坐

又復聽到縫綑牀側的哀歌

〔 I 〕

紅 紗 燈

怎得淋漓如注的雨水
洗滌哀愁抑鬱的心窩

I

誰不曾在路傍的衰草中
發見零亂無名的荒塚
裏面或眠着薄倖的古人
或朽着榮華一代的古夢

我不羨王者的矜貴
亦不慕乞丐的無羈
要是我的枯骨將朽
纖纖的玉手喲
給我鮮花插墓頭

青春是瓶裏的殘花

〔2〕

紅　紗　燈

愛情是黃昏的雲霞
幸福是沈醉的春風
苦惱是人生的棲家

苦惱是人生的棲家
墓石是身後的代價
不用鐫我莊嚴的碑文
要是常常供奉薔薇花

我手上的薔薇凋謝了
我心頭的小鳥飛走了
我不怨緊急的東風太無情
也不傷空籠的心頭太幽靜

II

〔3〕

紅　紗　燈

細聽步步的跫聲

聲聲發着悽愴的悲鳴

細看步步的足跡

跡跡印着暗淡的灰色

紅燭燒殘後

剩下灰燼的燭心

愛情告終了

空洞洞的刧後的餘生

人生的旅途闖入黑暗的夜陰

命運的響導闖入妖精的園林

哦　夜靜的我心

　　怨艾的我心

一切都是毀滅

[4]

紅　紗　燈

勿論新鮮與陳舊

一切都是哀愁

勿論命達與命瘦

我不愛金光燦爛的酒杯

盛載芬芳熾烈的醇酒

願常得滴滴苦澀的眼淚

淋澆開花來世的蓓蕾

III

我既不求世間的信義

怎的又埋怨伊底背心

我既不求世間的幸福

怎的又怨艾我底薄倖

人跡不印的山隈

［6］

紅　紗　燈

孤獨地徘徊
我非脫俗的仙骨
乃放逐的奴隸

沒有可待的人
怎的抱着期待之心
泉林喲　池草喲
是否候我此刻的訪問

我的悲哀是枕上的淚痕
我的怨艾是杯中的酒勻

一盅盈盈滿滿的醇紅酒精
一雙瑩瑩欲泗的湛淚眼睛
哦　人生若少了你的存在

[6]

紅　紗　燈

萬能的造物主沒有創造的高興

IV.

靜寂的深淵
奧底潛着殘酷的蛟龍
無聲的太息
裏面蘊藏雄辯的苦痛

我的憤怒親手交伊
我的哀愁怎能表示

——要是日西沈　夕黃昏
　　碎波的嗚泣哀愈深

要是日西沈　夜影深

紅　紗　燈

明月皎皎地哀情眞

女人喲

不要徒說我的詩歌韻太哀

要是你衷心誠摯地把我愛

勿謂沙上的文字洗去了

我們心頭的契約化烟消

尾　聲

破了酒盃換上新的

傷了心頭痕疵怎匿

我有多感纖弱之心

刻上深深蝕入的傷痕

〔8〕

酒　　歌

啊——酒
青色的酒
青色的愁
盈盈地滿盅
燒爛我心胸

啊——酒
青色的酒
青色的愁
盈我的心胸
澆我的舊夢

啊——酒

〔9〕

紅　紗　燈

青色的酒

青色的愁

夜半的街頭無人走

我的心懷怎能夠 • • •

銀光的夜色

銀光的愁寂

合照着天涯落魄人

牽他臨終的喘息

絹絲的夜色

渺渺的虛寂

沒有檳酒在身傍

腥紅的哀怨無由息

〔10〕

紅　　紗　　燈

青瑩的酒精在手
赤熱的哀怨在心頭
我的身心消滅後
榮華的夜夢也枯朽

榮華的夜夢也枯朽
玉姬的珠飾也陳舊
青史不錄豔情歌
芳塚壘壘無從究

啊——酒
青色的酒
青色的愁
盈盈地滿盅
燒爛我心胸

〔11〕

II

幻　窗

1 我願看你蒼白的花開……………13

2 月光下………………………15

3 淚零零的幸福昇華盡了…………16

4 蛺蝶的亂影………………………17

5 陰影之花…………………………18

6 幻影………………………………20

7 悲哀………………………………22

我願看你蒼白的花開

1

愛戀的花蕾四季常綻開

在古城堡裏的宮殿與樓臺

也在憂愁湮沒了的現代

也埋掩在我過去的塵埃

當我還是憂鬱的童駭

有瑩澄的珠光的眼睛愁訴伊底心愛

我不敢伸手承接害羞地迴轉頭來

現在留在心中只有枯凋了的怨艾的悲哀

2

撥開過去的塵埃

刮去忘却的蒼苔

〔13〕

紅　紗　燈

裏面眠着爽死的情愛

瀉澱傷心的眼淚的酒盃

殘花喲　你爲何不再開

飾我荒涼的現在

願我干腟的涙滴化了甘露

把你的枯根乾蓋潤澤地灌漑

我願看你蒼白的花開

我願看你病弱的花開

〔14〕

月 光 下

憂鬱的情緒塗抹在湖水的白練的光面上
女人底幽寂的幻影徘徊在睡蓮之鄉
銀光瀉練着　夢幻展開着　在輕軟的夜色中
愛人喲　你若孤單的 Nymph 嚶泣在噴泉的中央

冰涼的夜深　月影的寂寥的浮光中
撥開了霧靄的蒼白的輕紗　游泳古夢中
懷念的情思吸嚶了霜華冷露　不勝倦疲地沈重
愛人喲　飄來森林的幽陰裏　我煩悶的心胸

紡你底憂鬱　我爲你織成縹緻的霓裳
摘你底淚珠　我爲你串成精緻的胸飾
永遠地　你爲我忭舞在沈寂的睡眠之上
不絕地　我爲你展開飄渺的夢幻仙鄉

〔15〕

淚零零的幸福昇華盡了

淚零零的幸福昇華盡了
剩下焦燥的粉末滿積胸懷
浮在天空一面桃紅色的黃昏
當我睡在綿絮般的惆悵中褪色了

伊底銀光的眼睛湮沒在青繡的夜陰裏
斑斑點點的星屑撒布了無涯際的天空
永不再會了——市聲的遠響細語在耳邊
麻亂的心思風馳電掣地狂奔在都市的核心裏

〔16〕

蛺蝶的亂影

溫暖的春陽的軟影中　和氣盎薀

打盹的薔薇展着蒼白的微笑　頹然入夢

黃色的蛺蝶疲倦地翻展着輕紗的舞衣

徘徊在幽暗的陰影下　氤氳的情緒沉積地深濃

時間底悠閒的呼吸　凝滯地不流也不息

蛺蝶頹惰地吐了片片的抒情的嘆息

薔薇微醒地依戀着幽虛的夢心

無心有意突出她莖上的刺棘

〔17〕

陰 影 之 花

一

（在此境中）

黯淡的歡樂若夏夜的天鵝絨

馨香繚繞着薔薇底Carnation底豔妬與媚容

濃紫的輕綃掩護古傳奇的美夢

煩悶的淡烟燻着陶醉的蒼紅

二

（盎龍之陰）

疲病的椿花幽闇裏微翠

陰影的周圍氤氳着淚濕的芳薰

葉底漏下來的靑光慘淡作燻銀

朦朧的天空常帶蒼白的淚痕

〔18〕

紅　紗　燈

三

（幽影森森）

細膩的鳥聲吐異國的清音

陽春的序曲奏來世的哀韻

甜美的感傷的面絹籠罩深深

茌弱的蒼白若含愁又若帶恨

〔19〕

幻　影

蒼白的晨光擁抱着大地的夢魂

苦惱的陰雲罩着寂滅的歡忻

繞樹環山朦朧隱在濃霧的披覆入深眠

無力的碎波嗚咽地洗滌宵來的夜痕

偎身在幻覺魅惑的慰藉的擁抱中

瞻望着遠山的曲線染上微淡的鮮紅

白光迷瀰的海面一若精靈的潮沼

朝暾的靈光吹散了翩翩妖女的輕盈美夢

流自飄渺的黎闇鏗鏗的琴聲悠揚

一若修道院的早禱晨鐘寂寥嘹亮

蕭靜地迢遙地擴散到圓蓋的宇宙間

〔20〕

紅　　紗　　燈

只聽得環山繞樹底虔敬的回響

沈默的黟衣包着任意翱翔的游神
飄飄地飛到喜馬拉雅的靈潔的深山
闃入冰雪凝成的修道院的聖堂
這裏　我底愛情的徵象高懸神座間

〔21〕

悲　哀

悲哀衣了霓裳輕輕跳舞在廣闊的廳間
黃昏靜靜渡過枝梢葉底悄悄闖入空寂的塵寰
沈默的陰影投射在少女底穿上白衣的心頭
伊耽溺地啜泣在獻身的殘餘的時候

伊啜飲着多感的青春的醇酒
當菫花底紫影消滅在幽闇的時候
輕綃的黑夜裏　噴泉唱着哀傷的夜曲
伊伏在牙琴上心兒沉下煩惱的幽谷

少女底纏上白衣的心兒睡眠在消沈的陰影中
悲哀脫了霓裳滿掛甘露的淚水盈盅
——好人兒　飲它　尋你情熱的美夢

〔22〕

紅　　紗　　燈

——天仙底玉手爲你撫着月琴的銀絃
黑夜的胸懷爲你展舖感覺的絨氈
星星的眼池爲你漲盈潤澤的淚泉

〔23〕

III

好　　像

1 消亡的古御鹽 ……………………………25

2 現在………………… ………18

3 好像……………………………………29

4 眼睛………………………………………31

5 夜……………………………………33

消沉的古伽籃

一

樹林的幽語

嗡嗡——

暮靄的氛氳

朦朧——

遠寺的古塔

崎空——

沈潛的殘照

暗紅——

飄零的游心

哀痛——

片片的鄉愁

〔25〕

紅　紗　燈

晚鐘——

　　二

消沈的情緒

蒼蒼——

天空的美麗

悽愴——

禱堂的幽寂

渺茫——

黃昏的氣息

頹唐——

萬籟的律動

衰亡——

消沉的古寺

深藏——

· 26]

紅　紗　燈

三

萬古的飛翔

沉淪——

夜靜的信仰

身殉——

無言的緘默

逡巡——

蒼茫的懷古

無盡——

傳奇的情熱

灰燼——

墓坟的紀念

青春——

〔27〕

現　　在

我看得在幻影之中

蒼白的微光顫動

一朵枯凋無力的薔薇

深深吻着過去的殘夢

我聽得在微風之中

破琴的古調——琮琮

一條乾涸無水的河床

緊緊抱着沉默的虛空

我嗅得在空谷之中

馥郁的蘭香沉重

一個晶瑩玉琢的美人

無端地飄到我底心胸

〔28〕

好　　像

好像空庭寂寞的心胸
好像長夜漫漫的環境
沒有白玉的睡蓮開花闇中
沒有相思的愁情幻成好夢

好像秋思片片的虛情
好像濁流沉澱的心境
沒有腥紅的薔薇殉死焦思
沒有嗚咽的噴泉抒發心聲

玉蘭底倩影　婆娑地　打盹在睡眠的池邊
蒙露的孤愁　搖曳在黃昏逶迤的春天
看金光綿軟的夕照底柔情氤氳

〔29〕

紅 紗 燈

哦　愁人喲　春去也　你還是孤影依然

叢簇的牡丹　疲萎在噴水的池傍
飽吸淚珠的追懷　深浸在慈愛的春光
玲瓏的花瓣　消滅在泥土之中
哦　阿妹喲　蒼白的茉莉吐息在我底胸膛

〔30〕

眼　　睛

可愛的眼睛

常常想念的眼睛

淡墨掃過的晚上

月亮隱在疏林之顛

愛人喲　這是窺人的眼睛

這是你含情帶恨的眼睛

可愛的眼睛

常常想念的眼睛

微光一抹的中空

有耶無耶幾點疏星

〔31〕

紅　紗　燈

愛人喲　這是窺人的眼睛

這是你含愁帶淚的眼睛

〔32〕

夜

深夜中　你聽不來黑闇裏的鳴聲
——那陰慘的脆弱的命運的律動

黃昏的殘光的印象還未消
夕陽悽愴地逡巡在西空
告訴它底蒼黃的渾融的臨終

——萬物的色彩這樣地消沉
晻淡的"現在"剝落了過去的粉飾的黃金

——當熾情的戀夢破了
你看吧　莊嚴的生命的後光
映照心傷的殉情的絕望

〔33〕

紅　紗　燈

　　——當榮華的噩夢破了

　　你看吧　莊嚴的歷史的光彩

　　映照倒塌的寂寥的樓臺

　　——當燦爛的新鮮啞了

　　你看吧　塑像的永劫的金身

　　刻鏤歲月的莊嚴的遺痕

　　萬籟消沉後的夜深

　　夢幻打破後的我心

　　再不願側耳遠聽

　　那體刑的黑暗的呻吟

〔34〕

IV

死底搖籃曲

1 死底梳篦幽 ················ 35

2 冬 ·························· 37

3 冬夜 ······················ 39

4 我底短詩 ·················· 41

死底搖籃曲

哀愁的聖母守着哀愁的孩子
低聲唱着死底搖籃曲——

"閉你底眼睛去罷　黑衣的孩子嚇
靜靜地　悄悄地　死一樣地
睡去罷　我爲你蓋上雪白的死衣

"黃昏的微光爲你敲淡恬的喪鐘
寂寥的沉默爲你結安息的美夢
你定要休息的　你沒有永刼的金身
看呀　周遭深鎖着長眠的濃冬

"一色的白雪映着灰黑的森林

〔35〕

紅　紗　燈

美麗呵　世間最美麗的——那無言的墓坟
你絕了氣息安眠之後　七個天使
為你忭舉　陰霾的風琴　贊頌你底永生

"閉你底眼晴睡去罷　黑衣的孩子喲
靜靜地　悄悄地　死一樣地
睡去罷　我為你蓋上雪白的死衣"

〔36〕

冬

徐步野外

山林穿上素色之衣

春花夏葉埋葬幽谿裏

黯淡的喪鐘荏苒 —— 不盡地裊裊

草葉踡身睡眠

小鳥底翼搏凝凍

情思積着單調的白雲

無力地輕步在夢徑之中

冬郊一面荒涼

樹林空疏地哀傷

華麗的記憶有若褪色的夕陽

〔37〕

紅　紗　燈

濃冬底淒豔圍成美人的死像

徐步野外
山林穿上素色之衣
春花夏葉埋葬幽谿裏
黯淡的喪鐘荏苒——不盡地裊裊

〔38〕

冬　　夜

冬天　蹁足舞在虛寂的夜心

昨日的情人　帔覆着雪白的死衣橫陳

空疏的生命　潛伏在時間底摺疊的縐紋

冬天　蹁足舞在恐怖的夜央

天真的少女　帔覆着灰白的喪服夭殤

陰黑的眼睛睥睨自運命底重疊的回帳

冬天　蹁足舞在更深的夜間

慘白的水花　帔覆着沉默的黝衣凋殘

羸弱的靈魂　高飛在黑月底層疊的關山

冬夜　死去了的冬夜

〔39〕

紅　紗　燈

深深積雪的沈默的原野
沒有黑闇的安息的冬夜

冬夜　死亡去了的冬夜
吞吐着"過去"底呼吸的冬夜
"現在"底胎兒夭折的冬夜

〔40〕

我 底 短 詩

我底心弦微顫
我底短詩低吟

我底心弦微顫
在月明霜冷的夜心
卽沒有沁人的馨香
也氤氳着淚濕的哀傷

我底心弦微顫
作蒼黃沉寂的徘徊
在霑濕的空園內
像黎明的夜合花開

〔41〕

紅 紗 燈

我底短詩低吟

在蒼茫薄暮的黃昏

卽沒有感人的琴音

也細語在蘆葦之陰

我底短詩低吟

在更深幽靜的夜心

輕輕殺着高聲的跫音

不要驚破自己底夢魂

我底心弦微顫

我的短詩低吟

〔42〕

V

紅　紗　燈

1 夢………………………………………43

2 鄉愁………………………………………45

3 相約………………………………………47

4 紅紗燈………………………………………49

5 默………………………………………51

夢

不要點燈　要是它底　玫瑰色的軟影　映照到四隅
　　的幽陰
淡抹的哀悲　潛形在丹波縐起的　湖水的夜心

不要點燈　要是它底　紫羅蘭的浮光　流到記憶的
　　古渡頭
熹微的夢幻　飄零在空疏寥寂的　落葉的深秋

不要點燈　要是它底 marjoram 的弱光　灌漑到黃
　　昏的腳跟
假寐的沉默　消沉在黑影褶疊的天空底夜痕

不要點燈　要是它底　鷄冠花的陽光　燦爛在月痕

【43】

紅 紗 燈

的夢中
神祕的面絹　掀揭在睛空無垠的失望的蒼穹

屏息地坐在幽冥之中　任情地親着哀愁底嘴吻
從牙蕫的寶鼎底嘴唇　把吸不盡的淚泉啜飲

屏息地伏在微光之中　任情地偎着哀愁底擁抱
從玉琢的　膩滑的心胸　把散不盡的夜香吞吐

屏息地躍在黃昏之中　任情地瞧着哀愁底媚膌
從靑銅的香爐底頭蓋　看着氤氳繚繞的輕夢

屏息地夢在月痕之中　任情地抱着哀愁底玉體
從閃爍的霜華底眼珠　淘出顆顆銀光的眼淚

〔44〕

鄉　　愁

望着沉默的天空　它告訴我的乃無言的愛衷
也是放浪異鄉的哀愁　也是懷戀情人的輕盈之夢

凝視水光的夜色　它給我的乃無言的沉寂
今宵沒有情愛的人　湧自心來但有淚零零的追憶

靜聽胡琴的繁音　它隱着哀愁的肉慾的絃心
身在多感的異鄉　深長的呼吸歡樂地吞吐夜陰

靜悄地飛過了的哀愁　今宵盪回我空寂的心墟
我愛橙黃的月影　懷抱着故鄉底淡靑的情緒

我愛石砌的環拱的橋頭　與橋底的緩慢的濁流

【45】

紅　紗　燈

橙黃的月亮照着黃色的小船　我念木版畫裏的蘇州

異鄉的歡樂若青餚　燃燒的歡樂帶着霧靄的幽怨
聽着濃情多恨的俚語民風　異鄉的遊女若神仙

我愛甜膩的胡琴的哀音　我愛空疏閑散的故園的夜
　　深
任它飄盪底靈魂　重翻琵琶行的古情恨

望着沉默的天空　它告訴我的乃無言的哀衷
也是放浪異鄉的哀愁　也是懷戀情人的輕盈之夢

〔46〕

相　　約

殘光沒了的西空　女人喲　我相約你在黃昏後
氳氳的夜息吐香　園林阻隔塵濁的人寰　哦　不安
　　的心頭

寂寞的園中無人　女人喲　我徘徊在夜影之陰
消沉的萬籟低鳴　怎的好像你底跫音　哦　焦燥的
　　我心

沉澱的夜色如銀　女人喲　我的脈搏高鳴地律動
青白的空色蒼茫　噴水的嗚咽悽愴　哦　怨愁的心
　　胸

冬夜的天空慘淡　女人喲　我待你在園林之陰

〔47〕

紅 紗 燈

星光冷酷地譏嘲　枯樹空舉着絕望的枝梢　哦　哀
　　恨的我心

女人喲　你底影兒永遠地隱在幽冥之間
你底約束有若委在塵埃裏面的　褪色的玫瑰花環

女人喲　沈重的夜露壓倒我底怠倦的心情
你的約束有若閃灼夜空高處的　永遠是希望的星星

〔48〕

紅　紗　燈

森嚴的黑暗的深奧的深奧的殿堂之中央
紅紗的古燈微明地玲瓏地點在午夜之心

苦惱的沉默呻吟在夜影的睡眠之中
我聽得鬼魅魑魑的跫聲舞蹈在半空

烏雲叢簇地叢簇地蓋着蛋白色的月亮
白練滿河流若伏在野邊的裸體的屍殭

紅紗的古燈緩緩地漸漸地放大了光暈
森嚴的黑暗的殿堂撒滿了莊重的黃金

愁寂地靜悄地黑衣的尼姑踱過了長廊

〔49〕

紅　紗　燈

一步一聲怎的悠久又怎的消滅無踪

我看見在森嚴的黑暗的殿堂的神龕

明滅地偷晃地一盞紅紗的燈光顫動

〔50〕

默

輕烟　籠罩着池塘底安眠
沉默　枯朽着夢裏的睡遼

冬天來到疲乏的草根頭
靜悄悄地殺着蒼白的微笑
陽光隱在輕盈的烟綃
不照樹陰影裏的哀愁

怠倦的枯枝愁訴
黃金的新秋也衰老
銀白的長髮浸池中
輕輕挑掃浪紋的懊惱

我聽得幾句嗄聲的譏嘲

〔51〕

紅　紗　燈

老醜的烏鴉飛鳴在樹梢

沉紅的落葉積滿了空寂的心

怎的感謝那無情的胡鬧

隆冬的嚴肅遠過於祈禱

沒有殉教者的苦惱

憂愁的聖母默現在空間

守護著靈魂的日暮

〔52〕

VI

凋殘的薔薇

1 凋殘的薔薇醬病了我 ……………… 53

2 絕望 ……………………………… 56

3 殘燭 ……………………………… 58

4 小波 ……………………………… 60

5 短音階的欷惜 …………………… 62

6 蒼黃的古月 ……………………… 65

7 沒有睡眠的夜 …………………… 67

8 十二月 …………………………… 68

9 鬧夜曲 …………………………… 70

10 死 ……………………………… 72

凋殘的薔薇惱病了我

月亮幽怨地欷歔
徘徊在情恨纏緜的廢墟
今夜沒有情癡的繾綣
剩下一朵凋殘的薔薇

凋殘的薔薇惱病了我
對着夢幻的往昔纏綿地吟哦

只因爲有塗朱的嘴唇
吸飲我多感的青春
今朝蒼白的微笑凋殘
宵來的情熱成灰燼

【53】

紅　紗　燈

只因爲有塗朱的嘴唇

烘熱我多感的青春

腥紅的情熱許凋殘

炎炎的戀慕怎能盡

但是凋殘的薔薇惱病了我

對着夢幻的往昔能不吟哦

沒有朝　沒有夕

但有馨香氤氳的氣息

沒有朝　沒有夕

但有胭紅鮮豔的顏色

青燒的瓶中夢魂殘

紅紗的燈下影珊珊

〔.54〕

紅　紗　燈

遺香殘影成追憶
零零的白露灑人間

凋殘的薔薇惱病了我
對着夢幻的往昔不住地吟哦

往昔委在東去的流水
今宵揮滴新鮮的眼淚
悲我沉默的人生憔悴
哀我多感的青春告衰

凋殘的薔薇惱病了我
對着夢幻的往昔纏綿地吟哦

【55】

絕　　望

月亮喲　你慘白的銀光

　　怎的高貴

　　怎的冷淡

　　又怎的美麗

好像受難者思慕的靈芒

照着我今宵無可奈何的絕望

　　終古沉默的月亮

　　永恆美麗的幻想

　　沒有殉教者的苦難與哀愁

　　怎有全能的美麗的偶像

月亮喲　　你慘白的銀光

〔56〕

紅　紗　燈

怎的晶瑩

怎的可愛

又怎的無情

好像歡樂的幕後的 Pierotte

吞聲飲泣着無言的絕望

〔57〕

殘　　燭

追求柔魅的死底陶醉
飛蛾撲向殘燭的焰心
我看着奄奄垂滅的燭火
追尋過去的褪色歡忻

焰光的背後有朦朧的情愛
焰光的核心有青色的悲哀
我願效燈蛾的無智
委身作情熱火化的塵埃

燭心的情熱儘管燃
絲絲的淚繩任它縈
當我的身心疲瘁後

〔58〕

紅　紗　燈

空櫳殘杜繚繞着迷離的夢烟

我看着奄奄垂滅的燭火
夢幻的圓暈罩着金光的疲怠
焰光的背後有朦朧的情愛
焰光的核心有青色的悲哀

【59】

小　波

湧——
湧上沙灘來的小波
湧上心頭來的惆悵
依舊地碎浪啜泣復低歌
嗚咽它心情的無可奈何

湧——
湧上沙灘來的小波
湧上心頭來的愁情
迷離閃倏的心愛
寄彼晶瑩不滅的遠星

湧——

〔60〕

紅　　紗　　燈

湧上沙灘來的小波
湧上心頭來的煩惱
湧來湧去依舊孤愁的故我
碎浪嘲和你嘆嘆無可奈何

短音階的秋情

其　一

秋寂寞

山河睡覺地寂寞

情熱的夏日夢破了

悼亡的哀愁化葉落

落葉滿古徑

埋着過來的足跡

落葉滿山谷

幽幽然凋落的沉寂

其　二

秋寥寂

〔62〕

紅　紗　燈

僧院一般寥寂
祈禱的情熱慘淡了
金風蒼白地嘆息

蒼白的嘆息
蒼白的嘆息
青色眼睛的尼姑
望着天空無聲地嘆息

其　　三

秋靜寂
病院一般靜寂
宵來惡熱襲擊
幻覺惡夢去無跡

〔63〕

紅　紗　燈

清晨的澄明

肺病婦人的氣息

哦　蒼白的微笑送我心

白漆的病院 ether 的香息

【64】

蒼黃的古月

蒼黃的古月地平線上泣
氤氳的夜色涅露濕
漫着野逕有暮烟
掩我心頭有憂鬱

矗立的杉林默無言
睡眠的白草夢痕濕
惆悵的黃昏色漸密
　沉重的野烟
　沉重的憂鬱

　日暮的我心
　濃冬將至的我心

〔65〕

紅　紗　燈

夕陽疲憊的青光幽寂
給我黑色的安息

黑色的安息
黑色的安息
人影一般沉重的負荷
疲憊的心頭壓逼

蒼黃的古月地平線上泣
氤氳的夜色浥露濕
夕陽的面色蒼白了
沉重的野烟
沉重的憂鬱

〔66〕

沒有睡眠的夜

深夜岑寂地憂鬱之時
黑闇顫着蒼白的言詞

沉默的一切的黑色
祕密的一切的死寂

哦　中世紀的夜心
Stoicism 的精神

夜更絕望地愈深
只有明天的約束的夜心

哦　沒有睡眠的夜
沒有幻夢的夜

【67】

十 二 月

十二月
灰烟灰霧籠罩的十二月
欲雨還曇的焦燥
破我心頭Stoic的積雪

晝間街燈的睡眼惺惺
市外朦朧的遠山淡影
又是葬式的鐘聲

空中浮游着銀灰的景色
枯枝曳着欲斷的嘆息
又是孤悄的沉寂

〔68〕

紅　紗　燈

十二月

歲月告老的十二月

震慄的灰白的苦寒

積我心頭疲憊的白雪

〔69〕

闌 夜 曲

夢醒

澹恬的鐘聲

澹恬的鐘聲

夢裏遺情

夢醒

低微的鷄聲

低微的鷄聲

怪的心驚

夢醒

滿窗的月影

滿窗的月影

浸出哀情

夢醒

〔70〕

紅　紗　燈

零零的疏星

零零的疏星

淚痕晶瑩

夢醒

〔71〕

死

曇花枯凋在瞬息間

脆弱的生命喲

　脆弱的青春

青春與往昔俱逝了

我疲憊將殆的身心

　疲憊的靈魂

愁苦與悲哀一生無時息

　不分朝　不分夕

何處有安息的墓塋

　給我永眠的安息

荒涼有若羅馬的邱墟

〔72〕

紅　紗　燈

我生命的過去
萬事只有憑弔的欷歔
感傷的眼淚

[73]

VII

古 瓶 集

1 月亮的圓圈 ⋯⋯⋯⋯⋯⋯⋯⋯⋯⋯⋯ 75

2 橘火 ⋯⋯⋯⋯⋯⋯⋯⋯⋯⋯⋯⋯⋯ 76

3 微雨 ⋯⋯⋯⋯⋯⋯⋯⋯⋯⋯⋯⋯⋯ 77

4 古瓶詠 ⋯⋯⋯⋯⋯⋯⋯⋯⋯⋯⋯⋯ 73

5 嘆 ⋯⋯⋯⋯⋯⋯⋯⋯⋯⋯⋯⋯⋯⋯ 80

6 南海去 ⋯⋯⋯⋯⋯⋯⋯⋯⋯⋯⋯⋯ 82

7 古風的板畫 ⋯⋯⋯⋯⋯⋯⋯⋯⋯⋯ 85

月亮底閨閣

中空月亮底香閨
深垂夢幻的繡帷
嫦娥若是人間女
禁宮深思問凡婦

塵寰雖是多寂苦
淚化瑩珠或瑪瑙
深居宮禁若尼姑
霓裳羽衣不再舞

煌煌銀白積塵寰
幽幽安息掩人間
人間處女調絲竹
漫聲低唱"嘆五更"

〔75〕

紅　紗　燈

榴　火

滿都的微雨

萬戶在睡覺

君不看牆頭的榴火紅斑駁

濃綠的憂愁吐着如火的愁寞

〔76〕

微　　雨

微雨絲絲
雲烟迷灕
一幅東洋的古畫
一節東洋的古詩

〔77〕

古 瓶 詠

金色的古瓶
蓋滿了塵埃
金泥半剝蝕
染上了黯淡的悲哀

微光靜悄之時
詩韻錚鎼地欷歔
花瓣零落後
剩下黃金的花蕊

若是新燒的花瓶
金彩輝煌
若是初開的花朵

[78]

紅　紗　燈

　　黯射畫堂

　　朱色的古夢
　　消沉歲月之中
　　黃銅的夕照
　　闖入寥落的行宮

　　金色的古瓶
　　蓋滿了塵埃
　　詩人的心隈
　　蔓着銀屑的蒼苔

〔79〕

嘆

晶瑩的浪花
澱濕玉碎的月痕
泗淚滂沱的人魚
輾轉在銀光掩映的波紋

織成憂鬱的羽衣
伊紡着筋筋的淚絲
輕輕罩着渺茫的太空
微微燻着冰雪的月容

月亮浮在遙遠的荒海
白沫飛泡盪着頹廢的樓臺
舊夢飄流到無底的龍宮

〔80〕

紅　紗　燈

奄奄的隕星墜入陰影之中

疲怠於愛欲的豔屍
沉酔於哀愁的人魚
青白的夜色的霧烟
搖曳着伊底款歎

啊　燐光閃閃的淒涼
臨終的人魚怎心傷
誰爲伊撮起銀光的砂土
埋葬短命的煩惱

〔81〕

南　海　去

南海去
我的故鄉在南海裏
我恨不生翼作飛鷗
逍遙自在海天裏

南海去
我的故鄉在南海裏
朝朝夕夕遙望海與空
白帆片片來復去

白帆片片來復去
來的滿載載滿去

〔82〕

紅　紗　燈

去的船喲快快去
載我的鄉愁擺市墟

來的船喲快快來
蜜柑甜橙裝滿筐
葉色墨綠橙色黃
這是南國的顏色南國的光芒

南海去
我的故鄉在南海裏
農園四季有花開
茉莉的幽香
烘我初戀的心愛
鷄冠的鮮紅
焚着情熱的花蕾

〔83〕

紅 紗 燈

南海去

灰藍的屋宇

花崗岩的石柱

龍眼的果樹結圓珠

荔枝的老紅勝胭脂

七月的陽光池水裏

七月的鮮紅南海裏

南海去

我的思懷在南海裏

天天遙望海與空

帆影雲影南飛去

（此詩給歸國的弟弟們）

〔84〕

古風的板畫

深夜吐着華麗的呼息
紗燈照着榮華的孤寂
霓裳委棄病憷中
玉笙無主織塵積

〔85〕

VIII

禮拜日

1 不忍池畔···································87

2 淺碧的 Andante ···························90

3 禮拜日···································92

不 忍 池 畔

春愁擁我心，輕夢蕩漾池水上——春愁擁我心，夜色睡眠在荷梗之鄉——春愁擁我心，夏夜的記憶氤氳着零落的香，酒後的愁情送我到哀感的中央。

雨後作蕭散的徘徊，蒼白的街燈帶淚，石橋的舖石深入沉寂中，映着孤單的人影徘徊。樹林，山丘，孤獨的古塔，黯白的短牆都隱在睡眠裏，週遭瀰漫着靜夜的悲哀。

蒼烟罩着病弱的楊柳，寂寞的街燈飲泣在柳陰的衣袖，鯉魚安息在黑色的水痕中，我倚身在白石的橋頭，月亮還未上昇的時候，凋落的蓮梗搖曳着幻滅的哀愁。

〔87〕

紅　紗　燈

也是黃昏幽寂的時候，在情熱發散後的新秋，愛情早早凋枯在我心頭，可是依然和她漫步在這空寂的橋首，我愛那碧空孤寂的自由，她還把緹紅的回憶結牌。也是這個時候，無彩的新月掛在林梢。

同在這個橋頭，我們要分手。蓮花大早凋謝了，却剩下荷梗與根頭，我們分手了，鑄造一個紀念碑立在此白石的橋頭。同在這橋頭，我們要分手。

今夜抱着中酒的心情，欲把情熱的夜歌低唱，却被情熱的高潮滾起愁惡的哀傷——蕩不盡的那孤愁的哀傷。柔軟的鐘聲片片傳來，柔軟的記憶悠悠地展開。然而，深夜垂在人生的路上。

〔88〕

紅　紗　燈

　　我蹣跚在深夜的人生的路上——沒有陽光照過的
林間幽徑上，我愛那幽寂的微光，——淡恬的悲傷。

　　春愁侵襲我心隈，蘇醒蟄伏的情愛，——薔薇的焦
思，歡樂的疲怠。不忍池畔，我悲着我的暗夜的悲哀
——人生的灰色的悲哀。

〔89〕

歲 暮 的 Andante

烟霧迷瀰地迷瀰的烟霧

街頭　落葉　歪首的街燈

人去人來　浮動的風景

車往車來　點抹的畫圖

Santa Maria 躡足走過了

憂愁夫人展開廣闊的衣襟

冬天　嚴肅的冬天到了

帶著宿命的幽暗殘酷的沉吟

教堂的尖塔放棄了現世的苦痛

十字架高蹈地飛昇到上層的天空

Holy night　Holy night

All is calm　All is bright

─────────

[90]

紅　　紗　　燈

教堂照得天國一樣光明
街頭的夜色沉澱如墨

[91]

禮 拜 日

池心站着噴水的銅白鶴

　　潚潚洒洒

　　潚潚洒洒

噴水──水沫──徵象的旋律

誰人聽得懂？　英文翻下來

　　Mo-no-io-ny　Mo-no-to-ny

　　────────────

　　────────────

教堂裏面　靜穆

肺病病院　靜蕭

圖書館要經過鑛山的隧道

劇場還是酩酊地醉倒

92〗

紅　紗　燈

禮拜日的清晨
無聊的安息日

朝鮮的女子優美
蒼白的顏臉
蒼白的衣衫
鼻子又那般的憂鬱地
電車走了
現代的 Madonna
掛在我腦間的畫廊上

回頭來
婦人推着乳兒車走了

〔93〕

紅 紗 燈

白鶴依然吐着水沫的言語
反復咏嘆着有史以來的空虛
不要忘記　那就是英文的
Mo-no-to-ny　Mo-no-to ny

〔94〕

花木蘭文化事業有限公司聲明啓事

　　此次《民國文學珍稀文獻集成》出版，有賴各位作者家屬大力支持，慨然允贈版權，遂使這巨大的文化工程得以開展。本公司全體同仁在此向各位致以誠摯的謝意！

　　由於民國作者人數眾多，年代久遠且戰火頻繁，本公司傾全力尋找，遍訪各地，能夠找到的後人，得其親筆授權者，爲數甚寡。更多的情況是，因作者本人下落不明，連版權情況都無從知曉。

　　因此，本公司鄭重聲明：

　　此叢書所錄專著，凡有在版權期內而未授權者，作者家屬可與本公司聯繫，本公司願奉送相關贈書 50 冊爲報酬，補簽授權協議。

　　望家屬看到此通知後與本公司聯繫。聯繫信箱：hml@vip.163.com

花木蘭文化事業有限公司